Drôle d'école !

Des romans à lire à deux,
pour les premiers pas en lecture !

La collection Premières Lectures accompagne les enfants qui apprennent à lire. Chaque roman peut être lu à deux voix : l'enfant lit les bulles et un lecteur confirmé lit le reste de l'histoire.

Cette collection a trois niveaux :

NIVEAU 1 les bulles peuvent être lues par l'enfant qui débute en lecture.

NIVEAU 2 les bulles peuvent être lues par l'enfant qui sait lire les mots simples.

NIVEAU 3 les bulles peuvent être lues par l'enfant qui sait lire tous les mots.

Quand l'enfant sait lire seul, il peut lire les romans en entier, comme un grand !

Un concept original **+** des histoires simples **+** des sujets qui passionnent les enfants **+** des illustrations :
des romans parfaits pour débuter en lecture avec plaisir!

Cette histoire a été testée par Valérie Le Borgne, enseignante, et des enfants de CP.

Loi n° 49-956 du 16 juillet 1949 sur les publications destinées à la jeunesse,
modifiée par la loi n° 2011-525 du 17 mai 2011.
ISBN 978-2-09-255075-5

Texte d'Anne Rivière

Illustré par Gaëlle Duhazé

C'est la rentrée des classes. Maman a inscrit Nina, mais c'est papa qui l'emmène. Seulement, papa est étourdi : il a oublié de noter l'adresse de l'école. Heureusement, Nina remarque des enfants qui entrent dans un vieux bâtiment.

Vite ! La cloche sonne. Nina a juste le temps d'embrasser papa et d'entrer dans la classe.

Nina s'étonne : les élèves ont mauvaise mine et portent de vieux habits déchirés.

Un garçon et une fille invitent Nina à s'asseoir entre eux.

Le maître, monsieur Tibia, commence la journée par une leçon d'invisibilité. Nico lève le doigt pour montrer ce qu'il sait faire.

Il va au tableau et hop !
il disparaît.

Le maître demande alors à Nina
de disparaître à son tour.

Mais Nina a beau se concentrer…

– Tu seras peut-être meilleure en rire spectral, soupire le maître.

Le rire spectral ? Nina ne sait pas ce que c'est ! Le maître est obligé de lui montrer. De sa grosse voix, il éclate d'un rire épouvantable :

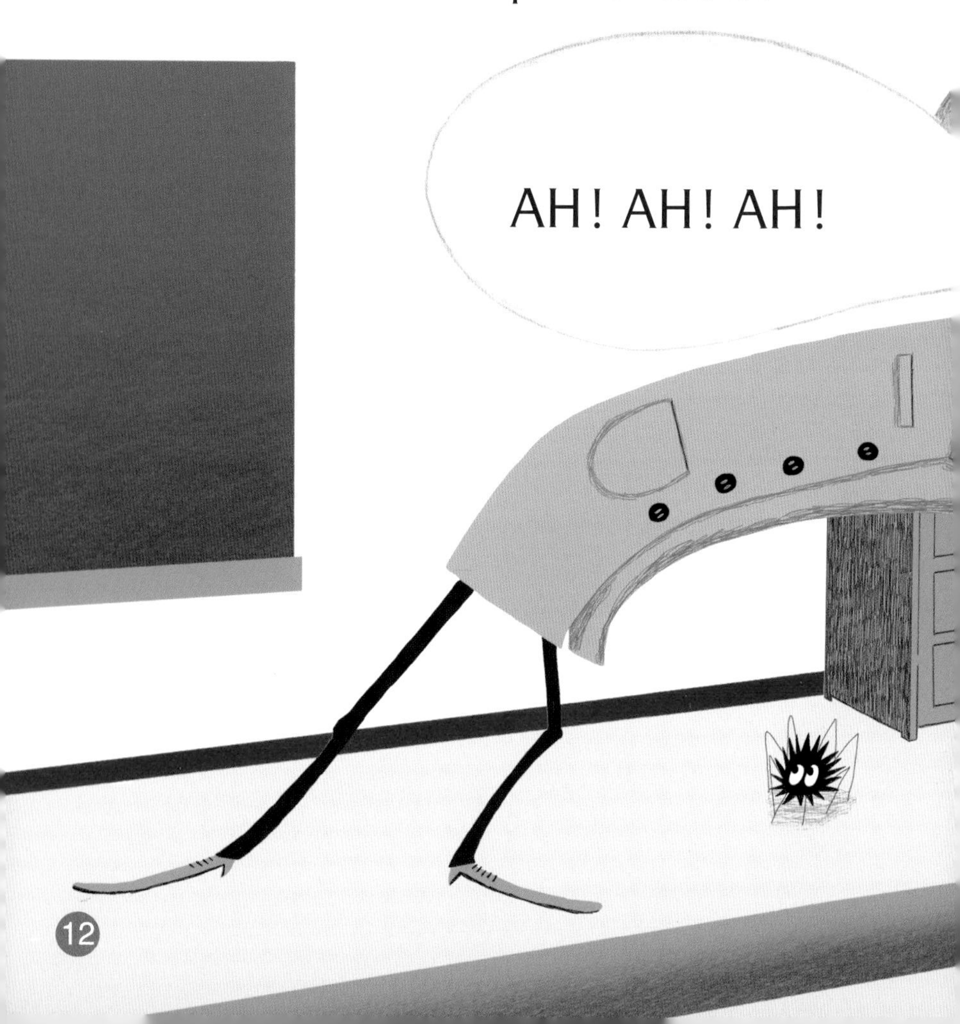

Morte de peur, Nina se sauve en courant.

Nico et Luna vont rassurer Nina qui pleure.

C'est dur, le CP !

Oui, c'est dur l'école des fantômes !

Nico et Luna éclatent de rire.

– Oui ! L'école des humains

est dans la rue à côté.

En apprenant qu'elle s'est trompée d'école, Nina veut s'en aller, mais ses amis la supplient :

Nina accepte de rester, mais rien qu'une journée.

La cloche sonne midi.
Monsieur Tibia emmène ses élèves et leur fait traverser le mur de la cantine.

Non, le mur
est dur !

– Décidément, tu n'es pas très douée, comme fantôme, dit monsieur Tibia. Tu ne manges pas assez d'araignées : tu manques de vitamines Bouh. Je vais t'en donner.

Il verse trois gouttes d'un flacon sur la tête de Nina.

Pouf! la voilà qui traverse la muraille de brique! Fantastique!

Nina rejoint ses amis à table. Nico et Luna se régalent avec la soupe aux asticots et le gratin de patates pourries.

Oh ! Nina,
ce n’est pas poli !

L'après-midi, en cours de hurlements,
Nina est félicitée pour ses cris stridents.

Pas mal,
Nina!

Après la récréation, monsieur Tibia annonce une partie de « fanto-volley ». Deux équipes doivent voler en se lançant un gros boulet.

Le maître désigne Nina comme arbitre
et lui prête son sifflet-squelette...
Elle est ravie.

Elle s'amuse tellement que lorsque
la cloche sonne la fin de la journée,
elle n'a plus envie de s'en aller.

Papa la ramène à la maison,
mais devant la porte d'entrée,
il fouille dans ses poches.

– Papa, tu manques de vitamines Bouh!

Il faut manger plus d'araignées!

Bravo ! Tu as lu un livre en entier !
Tu as aimé cette histoire ?

Découvre d'autres histoires dans la même collection !

N° éditeur : 10270213 – Dépôt légal : juin 2014
Achevé d'imprimer en janvier 2021 par Pollina
(85400 Luçon, Vendée, France) - 96138

Nathan présente les applications Iphone et Ipad tirées de la collection *premières* **lectures**.

L'utilisation de l'Iphone ou de la tablette permettra au jeune lecteur de s'approprier différemment les histoires, de manière ludique. Grâce à l'interactivité et au son, il peut s'entraîner à lire, soit en écoutant l'histoire, soit en la lisant à son tour et à son rythme.

Avec les applications *premières* **lectures**, votre enfant aura encore plus envie de lire... des livres !

Toutes les applications *premières* **lectures** sont disponibles sur l'App Store :